Les matériaux

LE PLASTIQUE

Crédits photographiques :
Couverture bd & 4/5 (François Souse), bg & 18/19
(Pascal Goetgheluck) - Science Photo Library. hd, 3
& 10/11 - Spectrum Colour Library. 5 bd & 28hd
(P. Van Riel), 9hg (Nigel Francis), 18bg (Avend/Smith),
19hd (Mark Mawson), 23hd - Robert Harding Picture
Library. 12bg, 15hg (Deep Light Productions), 12hd
(Klaus Guldbrandsen), 14 (Geoff Tompkinson), 15m
(Maximilian Stock Ltd), 16bg (NASA), 25bg, 29bg
(Adam Hart-Davis), 28bg (Ron Sanford) - Science
Photo Library. 26bg (Eric Horan), 24bg, 26/27h, 29hg
- Spectrum Colour Library. 6m, 6bd, 13hd - Ann
Ronan Picture Library. 9bd, 11bd, 20/21b - British
Plastics Foundation. 23bd (Kev Robertson), 27bg
(Robert Cianflone) - Allsport. 22/23b - Hulton Getty.

Les matériaux
LE PLASTIQUE

Steve Parker

GAMMA · ÉCOLE ACTIVE

Sommaire

Des gants, un emballage, une éponge, un ballon, tous ces objets sont fabriqués dans différents plastiques.

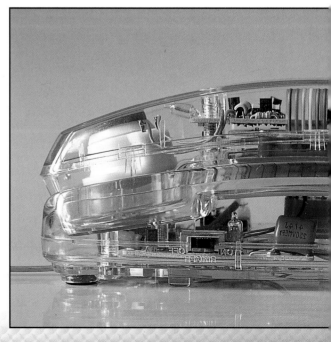

Introduction

Tu utilises un téléviseur, un stylo, un ordinateur. Tu es monté en voiture, en bus, en train, en avion. Partout, tu trouves des plastiques. Ces matières synthétiques sont aujourd'hui primordiales. Elles sont utilisées dans la vie quotidienne aussi bien que dans l'industrie. Mais elles présentent aussi des inconvénients : certaines entraînent un gaspillage et provoquent des pollutions. En raison de leur mode de fabrication, nous ne pourrons pas continuer éternellement à produire de nouvelles matières plastiques. Il faut les recycler et les réutiliser.

Les nouvelles matières plastiques servent dans l'espace pour les combinaisons, les vaisseaux, les fusées et les satellites.

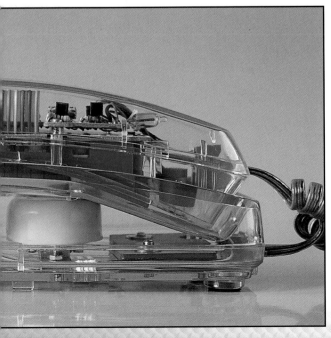

Un téléphone dans une coque en plastique transparent : l'intérieur est ainsi à l'abri de la poussière tout en restant visible.

Autrefois, on se contentait de jeter les plastiques usagés. Maintenant, beaucoup sont fabriqués de façon à être facilement récupérés et recyclés.

6 D'où viennent les plastiques ?

Certains matériaux de notre vie quotidienne, tel le bois, proviennent de la nature. Ce n'est pas le cas des plastiques : il faut les fabriquer à partir de matières premières, dont le pétrole, le charbon, le gaz naturel, des minéraux ou des plantes.

Le pétrole brut se trouve souvent sous terre. Il jaillit de hautes tours de forage, construites sur des forages profonds.

LES MATIÈRES PREMIÈRES

La première forme de plastique fut fabriquée voilà plus de 100 ans à partir de cellulose, une substance naturelle tirée des végétaux, comme le coton ou le bois. La cellulose est chauffée avec des acides et du camphre. Cela donne une matière nouvelle, étrange, dure et brillante qui ne ternit ni ne pourrit. Le chimiste Alexander Parkes (1813-90) a élaboré ce type de plastique, le Celluloïd, vers 1870.

Les premières automobiles de fabrication industrielle étaient les Ford modèle T, vers 1913. Avec l'augmentation de la consommation d'essence, l'industrie pétrolière a connu un formidable essor.

Un forage (1866).

Le pétrole brut contient des centaines de substances. Chauffé dans de grandes tours, les «colonnes de fractionnement», il se divise en divers éléments ou «fractions». Les gaz et les liquides légers s'élèvent dans la colonne, à l'endroit le plus chaud. D'autres fractions plus lourdes servent à fabriquer des plastiques.

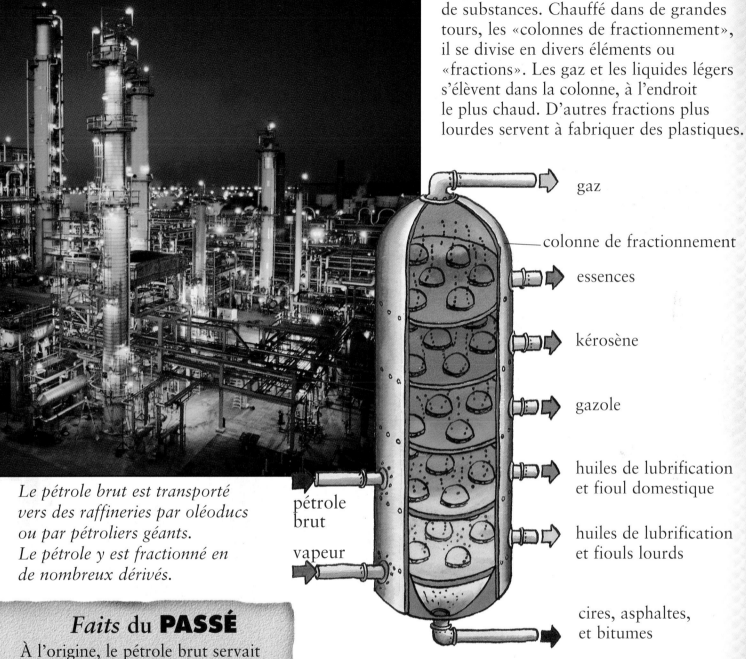

Le pétrole brut est transporté vers des raffineries par oléoducs ou par pétroliers géants. Le pétrole y est fractionné en de nombreux dérivés.

gaz

colonne de fractionnement

essences

kérosène

gazole

huiles de lubrification et fioul domestique

huiles de lubrification et fiouls lourds

pétrole brut

vapeur

cires, asphaltes, et bitumes

Faits du PASSÉ

À l'origine, le pétrole brut servait surtout de combustible pour les lampes. Les premiers puits furent forés à Titusville, en Pennsylvanie (États-Unis). On a peu à peu découvert que le pétrole contenait beaucoup de substances utiles, dont l'essence des premières voitures et, depuis 1920, des produits servant à fabriquer des plastiques.

LES DÉCHETS PÉTROLIERS

À partir de 1900, les voitures deviennent populaires. Elles fonctionnent à l'essence, un dérivé du pétrole. Mais le raffinage du pétrole produit beaucoup de déchets indésirables. Qu'en faire ? Les chimistes trouvèrent enfin une solution : les transformer en plastiques.

8 La chimie des plastiques

Toute la matière, y compris le plastique, est constituée d'atomes et de molécules. Les plastiques sont composés de quelques types d'atomes, surtout de carbone (C) et d'hydrogène (H) qui s'assemblent pour former des molécules d'hydrocarbures.

Faits du **PASSÉ**

Léo Baekeland a inventé le second type important de plastique en 1907. Il a chauffé deux substances chimiques, du formaldéhyde et du phénol. Le produit obtenu, la «Bakélite» ne conduit pas le courant électrique : c'est un bon isolant pour les appareils électriques.

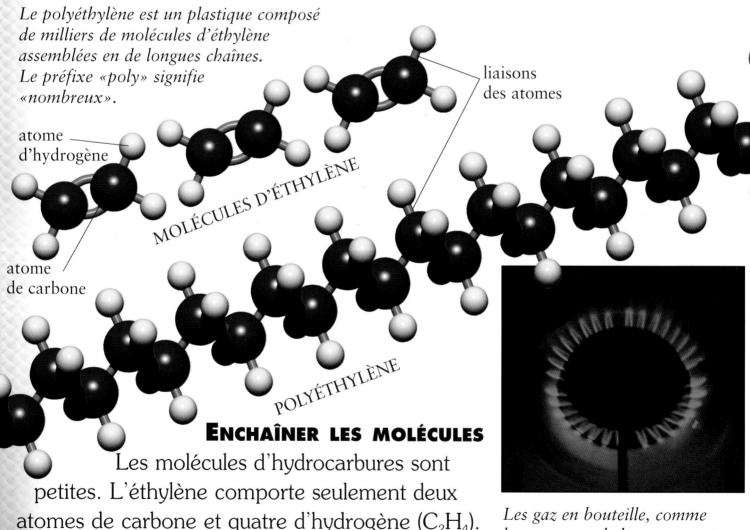

Le polyéthylène est un plastique composé de milliers de molécules d'éthylène assemblées en de longues chaînes. Le préfixe «poly» signifie «nombreux».

liaisons des atomes

atome d'hydrogène

atome de carbone

MOLÉCULES D'ÉTHYLÈNE

POLYÉTHYLÈNE

ENCHAÎNER LES MOLÉCULES

Les molécules d'hydrocarbures sont petites. L'éthylène comporte seulement deux atomes de carbone et quatre d'hydrogène (C_2H_4). Pour fabriquer des plastiques, il faut parvenir à relier ces petites molécules par centaines ou par milliers, en de longues chaînes.

Les gaz en bouteille, comme le propane et le butane de nos cuisinières, sont des hydrocarbures comparables aux plastiques monomères.

MONOMÈRES ET POLYMÈRES

Un téléphone en Bakélite (vers 1930).

Les petites molécules, comme celles de l'éthylène et du styrène, sont «monomères». Les molécules géantes, formées par de longues chaînes de molécules monomères, sont dites «polymères». Voilà pourquoi les noms de nombreux plastiques commencent par «poly» : polyéthylène, polystyrène…

LA FABRICATION DU PLASTIQUE

Les matières premières des plastiques sont pour la plupart des dérivés de pétrole raffiné et traité avec différents produits chimiques. Elles sont chauffées jusqu'à la température adéquate. Des pigments (substances colorantes) peuvent être ajoutés. Ici, les molécules monomères du styrène s'assemblent en un polymère, le polystyrène. Ce plastique léger et cassant est souvent utilisé comme mousse.

styrène brut

refroidisseur

1 les molécules monomères du styrène commencent à s'assembler en présence d'autres produits chimiques

2 les petites molécules polymères chauffées s'assemblent en chaînes plus longues

3 le plastique liquide et chaud avance dans un tube, poussé par une extrudeuse à vis sans fin

4 le plastique, refroidi et durci dans un bac d'eau, est coupé en morceaux

chauffage

coupe

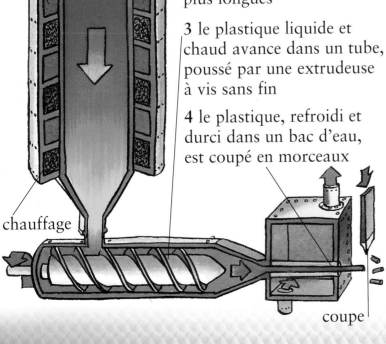

Grains de plastique coloré.

9

Il existe des centaines de plastiques et chaque année, on en invente de nouveaux. Ils sont classés dans deux groupes principaux, en fonction de leur comportement sous l'action de la chaleur. Ce sont les thermoplastiques et les thermodurcissables. («Thermo» signifie «chaud»).

ILS FONDENT OU DURCISSENT À LA CHALEUR

Pour être mis en forme, les plastiques sont chauffés jusqu'à leur point de fusion. Le plastique fondu est coulé dans des moules. Refroidi et durci, il est prêt à l'emploi. Un thermoplastique, chauffé à nouveau, se ramollit ou fond. Mais un thermodurcissable se durcit sous l'action de la chaleur et garde sa forme.

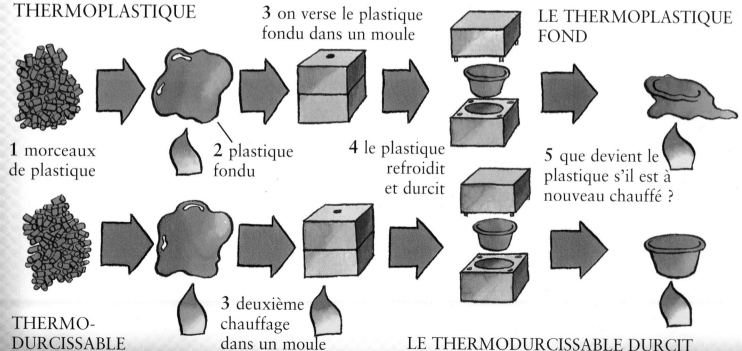

THERMOPLASTIQUE

1 morceaux de plastique

2 plastique fondu

3 on verse le plastique fondu dans un moule

4 le plastique refroidit et durcit

LE THERMOPLASTIQUE FOND

5 que devient le plastique s'il est à nouveau chauffé ?

THERMO-DURCISSABLE

3 deuxième chauffage dans un moule

LE THERMODURCISSABLE DURCIT

Les plastiques sont de mauvais conducteurs de chaleur : ils sont parfaits pour les poignées d'appareils chauds, comme les casseroles. Ces poignées doivent être en thermodurcissable.

L'IMPORTANCE DE LA CHALEUR

La différence entre thermoplastiques et thermodurcissables explique leurs emplois différents. Les thermodurcissables servent pour les objets exposés à la chaleur. On peut refondre les thermoplastiques pour les réutiliser ou les recycler.

Chaque type de plastique a des usages particuliers. Beaucoup de jouets sont en plastique, une matière dure, mais sans arêtes coupantes.

Idées pour le **FUTUR**

Les pièces et les articles en plastique sont produits en usine. Mais un jour, un distributeur dans la rue, équipé d'un ordinateur, produira peut-être, à la demande, des produits en plastique de toutes formes et de toutes les couleurs.

LES PROPRIÉTÉS DES PLASTIQUES

Il existe des centaines de plastiques différents, mais la plupart ont des caractéristiques et des propriétés proches. Ils sont légers et assez durs. Ils ne pourrissent pas et résistent à la pluie, au gel et aux intempéries. Ils ne conduisent ni la chaleur ni l'électricité. Beaucoup ont une surface brillante et lisse et des couleurs éclatantes. Certains sont flexibles et se courbent aisément. D'autres, durs et fragiles, se cassent si on les plie.

Des formes multiples.

11

Pour fabriquer des objets en plastique, on chauffe des matières plastiques en morceaux, granulés ou poudre. Les morceaux de plastique sont stockés en sacs ou en caisses puis transportés jusqu'aux machines de moulage.

LE MOULAGE

Le plastique en granulés est chauffé jusqu'à ce qu'il ramollisse ou devienne liquide. Il est alors versé ou poussé dans un moule métallique creux. Le plastique mou et fluide en épouse la forme, puis refroidit et durcit. L'objet en plastique est ensuite dégagé du moule.

Les briques d'un jeu de construction doivent être exactement de forme et de taille identiques pour s'emboîter parfaitement.

Avant de verser la poudre de plastique dans une machine de moulage, on vérifie la couleur et le type du plastique.

LES MÉTHODES DE MOULAGE 1

MOULAGE PAR INJECTION

Le plastique en grains passe d'une trémie dans un appareil à vis sans fin qui le pousse, avec une forte pression, sous des éléments chauffants. La chaleur et la pression ramollissent le plastique qui est injecté dans le moule où il se solidifie et durcit.

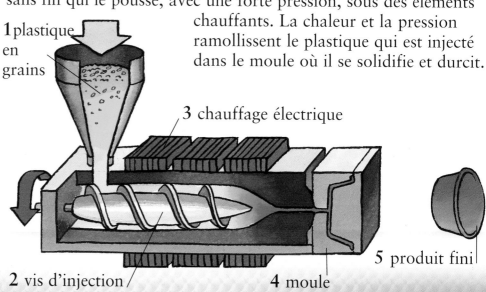

1 plastique en grains

3 chauffage électrique

2 vis d'injection

4 moule

5 produit fini

DES COPIES PARFAITES

La fabrication par moulage donne des articles en plastique qui ont tous la même taille et la même forme. Chaque type de moulage correspond à une forme et à une utilisation particulières. Par exemple, le moulage par rotation façonne des objets creux, circulaires ou ronds : ballons, poubelles, bidons de stockage, abat-jour, cylindres et cuves. (D'autres méthodes de moulage sont exposées page suivante.)

(D'autres méthodes de moulage sont exposées page suivante.)

Faits du PASSÉ

Les techniques industrielles permettent la fabrication rapide et économique d'objets en plastique comme les jouets dont les ventes ont connu un essor considérable à partir de 1950. Auparavant, chaque jouet était fabriqué à la main, à partir de matériaux comme le bois.

Assemblage des pièces de poupées.

Le moule façonne précisément un objet en plastique : ses proportions exactes et ses motifs.

MOULAGE PAR ROTATION

Le plastique en fusion est versé dans un moule chauffé qui tourne à grande vitesse. Le plastique s'étale en une couche mince et régulière à l'intérieur du moule. Le plastique se refroidit par jet d'air ou par aspersion d'eau tandis que le moule tourne encore.

1 plastique liquide versé dans le moule

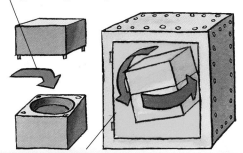

2 le moule tourne dans un four **3** produit fini

MOULAGE PAR TREMPAGE

Cette méthode utilise une forme pleine : le plastique se dépose sur l'extérieur et non sur l'intérieur comme dans un moule creux. La forme est trempée dans un bain de plastique chaud et pâteux. Quand on la retire, elle est couverte d'une fine couche de plastique.

2 trempage de la forme

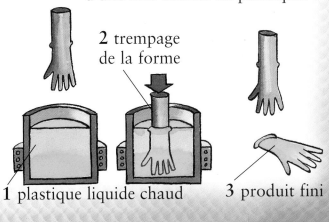

1 plastique liquide chaud **3** produit fini

Les machines industrielles produisent des milliers d'articles par minute. Des contrôleurs de qualité vérifient régulièrement qu'ils sont sans défaut.

Il existe diverses techniques de moulage du plastique qui lui donnent la forme du produit fini. Certains procédés sont exposés ici ou précédemment. Ces techniques de fabrication sont bien différentes de celles qui mettent en œuvre d'autres matières premières.

DES FAIBLES COÛTS

Pour fabriquer des objets en bois ou en pierre, il faut couper, tailler, limer un gros bloc jusqu'à la forme désirée. Les objets en plastique sortent moulés des machines permettant ainsi une économie de matières premières et de temps, d'où un coût moindre.

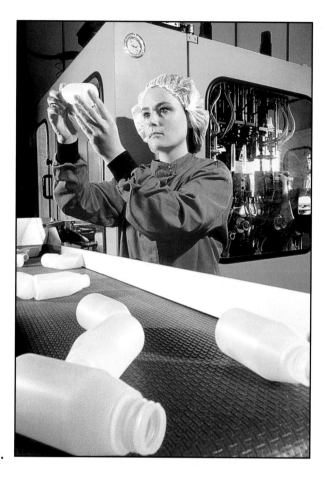

LES MÉTHODES DE MOULAGE 2

MOULAGE PAR EXTRUSION

Des granulés de plastique sont chauffés et fortement pressés dans une forme métallique à vis sans fin pour fabriquer le produit.

MOULAGE PAR SOUFFLAGE

On recueille une bulle de plastique en fusion à l'extrémité d'un tube. De l'air ou du gaz à haute pression la dilate comme un ballon, la plaquant contre le moule pour obtenir une forme creuse.

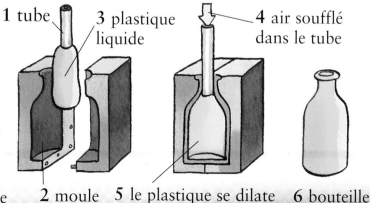

Extrusion :
1 granulés de plastique
5 eau de refroidissement
2 extrudeuse
3 chauffage
4 forme
6 tuyau plastique

Soufflage :
1 tube
3 plastique liquide
4 air soufflé dans le tube
2 moule
5 le plastique se dilate
6 bouteille

La fabrication des moules est un travail hautement qualifié. Pour obtenir exactement la forme voulue d'un moule à plastique, il faut parfois élaborer plusieurs modèles.

Idées pour le **FUTUR**

Les plastiques sont difficilement attaqués par les moisissures et les bactéries. Ils ne pourrissent pas. Mais à l'avenir, un nouveau germe pourrait apparaître, capable de dégrader les matières plastiques ! Tous les articles en plastique se décomposeraient alors sous nos yeux.

Les plastiques devront-ils être stériles ?

LONG ET MINCE

La multitude de produits fabriqués nécessite une grande variété de moulages en fonction des différents types de plastiques. Le polypropylène est un matériau dur et flexible. Le moulage par extrusion permet de l'étirer en formes minces et longues, comme des fils et des tubes.

MOULAGE SOUS VIDE

Une feuille de plastique mince est chauffée, ramollie et placée sur le moule. Une pompe à vide aspire l'air entre la feuille et le moule. La feuille adhère au moule dont elle épouse la forme.

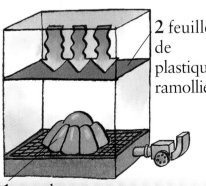

2 feuille de plastique ramollie

1 moule

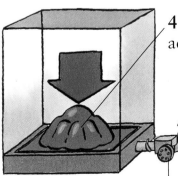

3 pompe à vide

4 le plastique adhère au moule

5 produit fini

Le moulage sous vide ou thermoformage est utilisé pour les blisters, des emballages en plastique transparent.

Certains objets en plastique sont constitués de peu de matériau et de beaucoup d'air. Ils sont légers comme des plumes : ce sont des mousses ou plastiques expansés.

BEAUCOUP DE BULLES

Les mousses plastiques sont des matières plastiques légères et cellulaires qui contiennent beaucoup d'alvéoles ou de bulles.

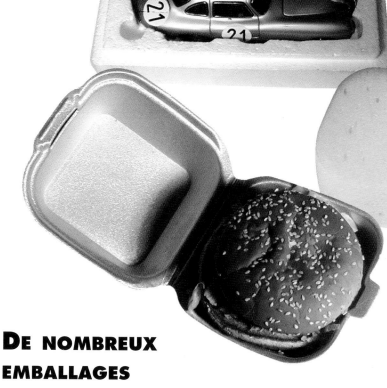

Idées pour le FUTUR

Les plastiques ne sont pas comestibles. Dépourvus de nutriments, ils ne se digèrent pas. Mais à l'avenir, on pourrait fabriquer des mousses de plastique avec des nutriments, des protéines, des vitamines et des parfums. Ce serait de légers en-cas, savoureux et sains.

Des aliments plastiques dans l'espace ?

DE NOMBREUX EMBALLAGES

Les mousses plastiques ont des centaines d'emplois. Certaines servent d'emballage, de boîtes pour les aliments, les jouets, les appareils électroniques et les articles fragiles. D'autres sont utilisées comme bourrage pour remplir les vides autour de gros objets, dans des caisses ou des cartons. Ces mousses, souvent souples, protègent les articles des chocs. Très légères, elles n'alourdissent pas le colis.

Les mousses plastiques rigides constituent des emballages solides et imperméables pour les aliments et les objets fragiles. Les mousses plastiques souples absorbent l'eau par leurs pores et servent d'éponges.

LA FABRICATION DES MOUSSES PLASTIQUES

1 produits chimiques

2 liquide versé dans un moule

3 des bulles se forment et le plastique durcit

Les mousses plastiques sont fabriquées selon deux techniques.

◄ Les polyuréthannes sont obtenus par réaction de deux produits chimiques, un di-isocyanate et un diol. Le mélange durcit dans un moule.

► Les mousses de polystyrène sont obtenues en ajoutant un ferment chimique à des perles de polystyrène. Le mélange est chauffé et moulé quand la fermentation dégage et forme des bulles de gaz.

1 perles de polystyrène contenant un ferment chimique

2 les perles sont chauffées et versées dans un moule

3 en chauffant encore, le ferment chimique produit des bulles

POUR L'ISOLATION

La chaleur ne traverse ni la plupart des plastiques ni les bulles d'air. Les mousses plastiques sont donc de bons isolants thermiques. Les murs, les planchers et les plafonds sont isolés avec de grandes plaques de polystyrène expansé pour empêcher la chaleur de sortir ou d'entrer.

De grandes plaques de polystyrène expansé sont utilisées en construction pour isoler du froid, de la chaleur ou du bruit.

17

Dans les rues du monde entier, on peut voir des sacs en plastique qui contiennent divers achats.

FIN ET SOUPLE

Le polyéthylène (voir page 8) est sans doute le plastique le plus fabriqué dans le monde. Il est plus ou moins souple selon son épaisseur, mais jamais rigide. Le débouché le plus important du polyéthylène est la production de feuilles et de films très fins pour l'emballage, pour les sacs à provisions par exemple.

Les plastiques souples servent à fabriquer des parapluies, des cirés, et autres articles imperméables.

Dans une usine de sacs en plastique, un tube de plastique fin est extrudé, soufflé et refroidi par de puissants courants d'air.

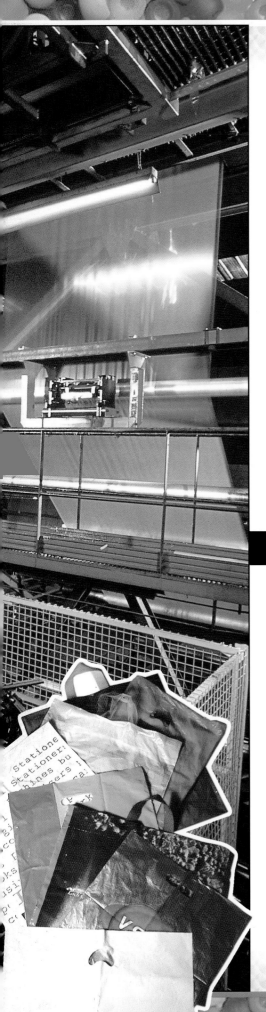

UN USAGE UNIVERSEL

Léger, solide, résistant aux intempéries et imperméable, le plastique en films ou en feuilles a une infinité d'emplois : emballages de bonbons, papier alimentaire étirable, rideaux de douche, parapluies, sacs-poubelle, et vêtements de pluie entre autres. (Voir aussi page 24).

LA FABRICATION DE SACS EN PLASTIQUE

Le plastique en films ou en feuilles est généralement du polyéthylène à basse densité. Il n'est ni lourd ni dense, mais léger et souple, et pourtant solide. Ses molécules polymères pointent dans toutes les directions, comme un jeu de mikado jeté sur une table. Le polyéthylène à haute densité est plus rigide. Ses molécules polymères s'alignent en paquets.

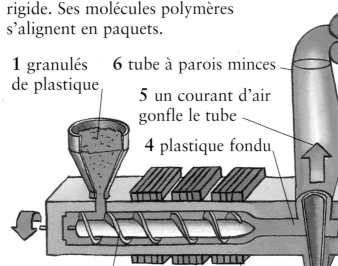

1 granulés de plastique

6 tube à parois minces

5 un courant d'air gonfle le tube

7 des rouleaux aplatissent le tube pour le sceller

4 plastique fondu

8 colleuse

9 coupe

2 extrudeuse

3 chauffage

10 sac plastique

19

Certains plastiques ont l'aspect du verre. Ils sont durs, résistants et transparents. Ils sont utilisés pour faire des vitrages.

LE VERRE PLASTIQUE

Un des plastiques utilisés pour faire des feuilles transparentes est un acrylique, le polyméthacrylate de méthyle (PMMA). On l'appelle aussi «Plexiglas». Il ne se brise pas en éclats pointus comme le verre.

Le plastique dur et transparent est moulé en surfaces lisses ou avec des graduations (à gauche).

Les pare-brise feuilletés sont constitués de couches de plastique transparent et de verre trempé.

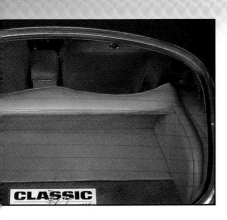

DE NOMBREUX USAGES

Les acryliques et les polycarbonates transparents servent pour les vitrages. Ils peuvent être moulés en des formes complexes, comme les phares incurvés des véhicules. Résistants aux impacts, sans voler en éclats, ils sont utilisés pour les pare-brise et les équipements de protection comme les casques des cyclistes.

LES PLASTIQUES TEXTURÉS

Une surface lisse et brillante donne aux objets en plastique un bel aspect et les rend résistants à l'usure. Mais certaines feuilles de plastique doivent présenter une texture, avec des sillons ou des veines.

Au cours de la fabrication des feuilles, le dessin superficiel est imprimé dans le plastique chaud et mou. L'empreinte est laissée par un rouleau dont la surface porte le dessin en relief inversé. Cette méthode est l'estampage.

1 granulés de plastique

2 un rouleau chauffant fond le plastique

3 un rouleau d'estampage imprime le dessin sur la surface

4 feuille de plastique estampée

Les plastiques estampés peuvent être colorés et avoir un aspect comparable à celui d'un matériau naturel : cuir, toile ou bois.

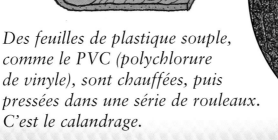

Des feuilles de plastique souple, comme le PVC (polychlorure de vinyle), sont chauffées, puis pressées dans une série de rouleaux. C'est le calandrage.

Le caoutchouc naturel est élastique et résistant. Étiré ou comprimé, il reprend sa forme. Il provient d'arbres tropicaux (hévéas) et coûte en général très cher. Certains plastiques, dont le PVC et l'ABS, possèdent un aspect et des propriétés analogues à ceux du caoutchouc.

LES MÉLANGES DE PLASTIQUES

Certaines matières plastiques contiennent plus d'un monomère. Ces combinaisons de plusieurs monomères sont des copolymères. L'ABS contient trois monomères : acrylonitrile, butadiène et styrène. En variant les proportions du mélange, l'ABS peut être plus ou moins rigide, dur, souple ou élastique.

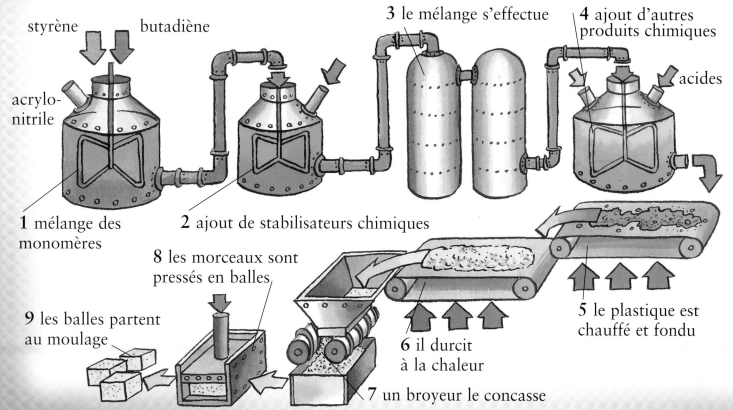

3 le mélange s'effectue

4 ajout d'autres produits chimiques

styrène   butadiène

acrylo-nitrile

acides

1 mélange des monomères

2 ajout de stabilisateurs chimiques

8 les morceaux sont pressés en balles

9 les balles partent au moulage

6 il durcit à la chaleur

5 le plastique est chauffé et fondu

7 un broyeur le concasse

Les pneus des véhicules sont en général un mélange de caoutchouc naturel et d'un plastique dur, souple et résistant à l'usure, l'élastomère SB (styrène-butadiène).

Une combinaison de plongée épouse les mouvements du corps. Avec sa mince couche de mousse, elle protège du froid.

LA CUISINE DES PLASTIQUES

L'élaboration des plastiques ressemble à la cuisine : le résultat final dépend des ingrédients utilisés. Souple et élastique, le polybutadiène est trop mou pour fabriquer des pneus. Le polystyrène est beaucoup plus dur, mais plus cassant. En mélangeant les deux en proportions convenables, on obtient un produit souple, élastique et résistant.

LES CAOUTCHOUCS SYNTHÉTIQUES

Les plastiques qui ont les caractéristiques du caoutchouc naturel sont des élastomères synthétiques. Ils servent pour des produits souples et imperméables. Les mousses de ces plastiques permettent de réaliser des coussins.

Faits du PASSÉ

Le caoutchouc naturel est un polymère, comme les plastiques. Il contient de longues chaînes d'un monomère, l'isoprène : on l'appelle «polyisoprène». Les premiers caoutchoucs synthétiques, comme le SB (voir ci-dessus), ont été élaborés aux États-Unis vers 1940.

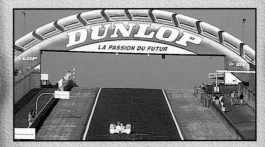

Les pneus consomment les 2/3 du caoutchouc produit.

Des vêtements souples, élastiques et imperméables sont réalisés avec des caoutchoucs synthétiques.

23

Certains articles sont totalement en plastique. Mais du plastique est aussi ajouté à d'autres matériaux pour fabriquer une grande variété de produits divers aux usages multiples.

L'AJOUT DE PLASTIQUE

Des plastiques en feuilles peuvent être moulés pour faire des vêtements, des couvertures ou des voiles de bateaux. Mais dès qu'une feuille de plastique a le moindre accroc, elle se déchire très vite. Des textiles sont fabriqués avec des fibres naturelles, comme le coton. Un nouveau tissu, obtenu en ajoutant du plastique aux fibres naturelles, possédera les qualités des deux matériaux.

LA PLASTIFICATION DES TISSUS

Des tissus sont imprégnés de plastique par divers procédés. Le tissu est plastifié par immersion dans un bain de plastique chaud et pâteux. Puis des éléments chauffants finissent de le fondre afin qu'il imprègne chaque fibre du tissu en s'écoulant. Une autre méthode consiste à appliquer à chaud une feuille de plastique sur un tissu pour la ramollir et la faire adhérer aux fibres : une seule face du tissu est ainsi enduite de plastique.

Le plastique imperméabilise.

5 tissu plastifié

4 refroidisseur

1 rouleau de tissu

3 le plastique chauffé imprègne le tissu

2 passage du tissu dans une cuve de plastique en pâte

LES PLASTIQUES DANS LES PEINTURES

Les plastiques sont des composants très importants de toutes sortes de peintures. Ils permettent aux pigments (substances colorées) de bien se mélanger. Ils donnent de la consistance ou de l'épaisseur à la couche de peinture qui s'étale plus facilement et adhère au support. Ils forment une surface brillante et résistante à l'usure après séchage. Certaines peintures portent le nom des plastiques qu'elles contiennent : c'est le cas des acryliques utilisées par les artistes.

Des plastiques, des pigments, des solvants et d'autres substances sont mélangés pour obtenir des peintures spéciales.

Idées pour le FUTUR

Certains plastiques semblent changer de couleur selon leur éclairage. À l'avenir, un plastique de ce type pourrait changer de teinte s'il était balayé par certains rayons lumineux. Utilisé comme peinture sur un mur, on pourrait en varier la couleur en quelques secondes.

Les résines plastiques lient les petites particules des pigments et des autres composants : la peinture s'étale facilement de façon homogène.

Des petits grains de plastique transparent réfléchissent la lumière. Cette propriété permet à des peintures plastiques spéciales de couleurs vives de briller dès qu'elles sont éclairées.

Quelle couleur aujourd'hui ?

25

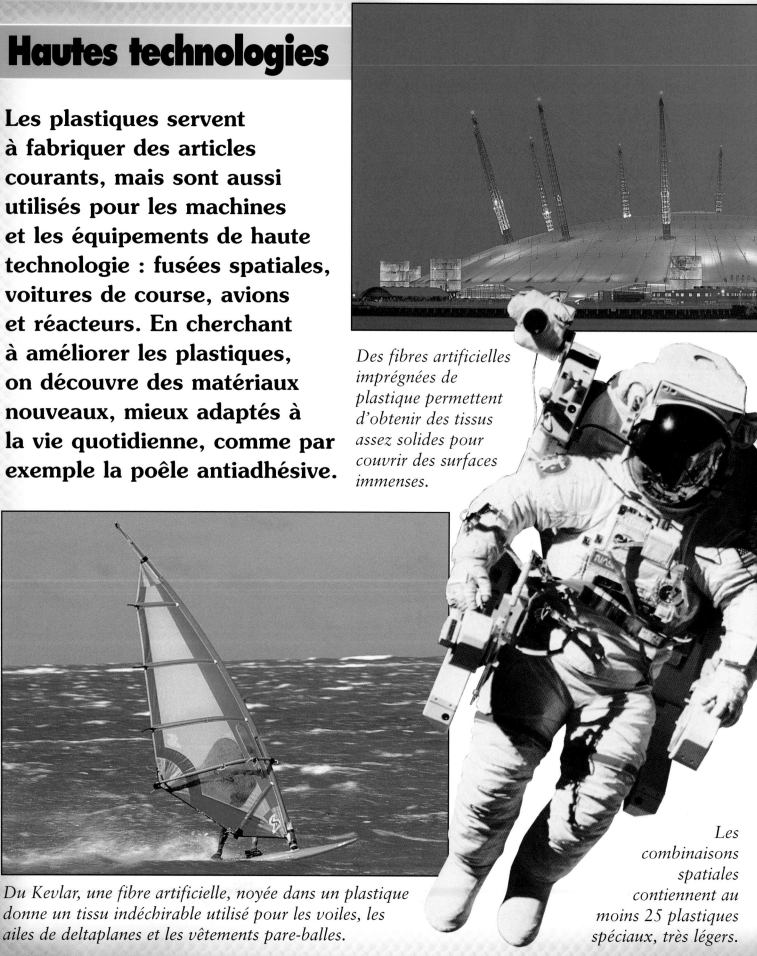

Les plastiques servent à fabriquer des articles courants, mais sont aussi utilisés pour les machines et les équipements de haute technologie : fusées spatiales, voitures de course, avions et réacteurs. En cherchant à améliorer les plastiques, on découvre des matériaux nouveaux, mieux adaptés à la vie quotidienne, comme par exemple la poêle antiadhésive.

Des fibres artificielles imprégnées de plastique permettent d'obtenir des tissus assez solides pour couvrir des surfaces immenses.

Du Kevlar, une fibre artificielle, noyée dans un plastique donne un tissu indéchirable utilisé pour les voiles, les ailes de deltaplanes et les vêtements pare-balles.

Les combinaisons spatiales contiennent au moins 25 plastiques spéciaux, très légers.

Un antiadhésif

Le polytétrafluoroéthylène (PTFE ou Téflon) est un plastique très dur et solide, bon isolant de l'électricité et qui résiste à la chaleur et aux produits chimiques. Il diminue les frottements et sert de revêtement antiadhésif.

Le Téflon ne ramollit qu'au-dessus de 320 °C. Il recouvre les poêles antiadhésives et est employé pour les machines et les outils travaillant à hautes températures.

Les composites

Les matériaux composites sont formés de plusieurs composants. Les plus répandus comportent une armature de fibres (verre, carbone, polyamides…) noyée dans un plastique. Les éléments d'un composite varient selon l'usage auquel on le destine.

Les éléments légers et résistants de véhicules (motos, bicyclettes, voitures, bateaux ou avions) sont en composites, matériaux solides et souples.

Faits du PASSÉ

Vers 1960, les techniciens ont mis au point le Futuro, une maison légère et portable en plastique. Une petite grue la transportait d'un endroit à un autre. Les chaises, les tables et les lits étaient moulés dans l'ensemble ainsi que les radiateurs, les tuyaux d'eau et les systèmes électriques. De l'extérieur, le Futuro ressemblait à une soucoupe volante !

Le Futuro, une maison en plastique.

Les plastiques jouent un rôle essentiel dans le monde actuel : ils ont des milliers d'usages. Mais ils causent aussi divers problèmes dont les deux principaux sont l'origine des matières premières et l'élimination des déchets en plastique.

LA CRISE PÉTROLIÈRE

Environ 5 % de la production de pétrole brut est utilisée pour la fabrication des plastiques. Le reste est transformé en carburants et autres dérivés. Mais la consommation de pétrole est telle que les réserves mondiales pourraient être épuisées en cent ans.

La collecte des divers types de plastiques séparément pour le recyclage permet d'économiser le temps et l'argent du triage.

Les cordes, filets, ficelles, bouteilles et caisses en plastique mettent des années à s'éliminer. Ils polluent l'environnement et mettent la faune en danger.

Idées pour le FUTUR

Certains plastiques sont biodégradables : ils se décomposent naturellement. Dans des années, nous modifierons peut-être les gènes de certains animaux, comme les araignées ou les vers à soie, qui produiraient alors des fibres très solides semblables à celles en plastique. Ces fibres pourraient être utilisées pour toutes sortes d'usages. Elles finiraient par se décomposer et seraient recyclées par la nature.

Il faut recycler les plastiques différemment selon leur type. Certains seront fondus, puis réutilisés pour fabriquer de nouveaux produits en plastique : bouteilles, sacs, caisses, clôtures, poteaux, meubles de jardin et tuyaux. D'autres seront filés en fibres. Une autre variété servira de combustible pour alimenter leur recyclage.

Les plastiques constituent environ 10 % du poids des déchets jetés par les habitants des pays riches.

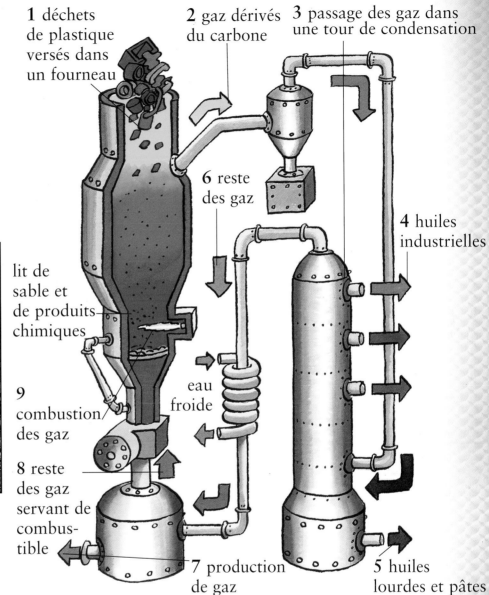

1 déchets de plastique versés dans un fourneau

2 gaz dérivés du carbone

3 passage des gaz dans une tour de condensation

6 reste des gaz

4 huiles industrielles

lit de sable et de produits chimiques

9 combustion des gaz

eau froide

8 reste des gaz servant de combustible

7 production de gaz

5 huiles lourdes et pâtes

Utiliser des fils d'araignées ?

LES PRODUITS ARTIFICIELS

Les matériaux naturels, comme le bois et le cuir, sont biodégradables : ils se décomposent dans le sol. Les plastiques ne sont pas biodégradables. Ils se conservent des centaines, voire des milliers d'années. Afin de limiter l'utilisation de matières premières et l'accumulation de déchets, il est essentiel de conserver ou de recycler tous les plastiques.

Note : beaucoup de plastiques ont plusieurs noms, dont ceux du monomère principal, du polymère, de la marque commerciale et de l'inventeur.

TYPES DE PLASTIQUES		CARACTÈRISTIQUES ET EMPLOIS
THERMOPLASTIQUES	ABS : acrylonitrile-butadiène-styrène	Résistant aux chocs ; pour l'automobile, le téléphone, la tuyauterie et l'électroménager.
	Acryliques (PMMA)	Transparents, durs, solides ; pour les vitrages souples (Plexiglas), les verres de lunettes, les fibres textiles, les peintures.
	Cellulosiques	Souples quand ils sont minces, brillants ; pour les objets décoratifs et les films de cinéma.
	Polycarbonates	Transparents, durs, rigides, résistants aux chocs ; pour les vitrages de sécurité, casques de moto, panneaux de circulation.
	Polyéthylènes	Souples, plus ou moins durs, à basse densité : pour les films, les sacs, les bouteilles ; à haute densité : pour les tuyauteries.
	Polytétrafluoro-éthylène (Téflon)	Résistant aux produits chimiques et à la chaleur, isolant électrique, diminuant les frottements ; pour les revêtements résistant à la chaleur et antiadhésifs, l'isolation.
	Polypropylène	Dur, souple, s'extrude bien : pour la tuyauterie, l'équipement ménager, les caisses, les fibres et les fils.
	Polystyrènes	Assez cassants, donnent des mousses et des expansés ; pour l'emballage, les jouets, les produits flottants, l'isolation.
	Polychlorure de vinyle (PVC)	Solide, rigide ou souple ; pour la tuyauterie, les chaussures, les huisseries, les sols.
THERMODURCISSABLES	Résines époxydes	Dures, résistantes aux produits chimiques, à la chaleur, à l'électricité, aux chocs ; pour les adhésifs, l'électricité, les sols.
	Phénol-formaldéhyde (Bakélite, mélamine)	Dur, solide, résistant à la chaleur, aux produits chimiques, isolant électrique pour les queues de casseroles, l'équipement électrique, la vaisselle.
	Polyuréthannes	Mousse pour ameublement, isolation, chaussures, équipements sportifs et emballages.

Glossaire

biodégradable : qui moisit, pourrit ou se décompose naturellement en substances simples, comme des minéraux, sous l'action des microbes, des moisissures ou d'autres êtres vivants.

calandre : une machine à cylindres pour lisser, lustrer ou glacer les étoffes, le papier…

composite : se dit d'un matériau formé de plusieurs composants distincts, comme du plastique, des métaux et des fibres.

copolymère : un matériau qui contient plus d'un monomère.

élastomère : une matière naturelle ou synthétique qui a les propriétés élastiques du caoutchouc.

expansé : se dit d'une matière plastique qui a les propriétés d'une mousse solide et qui est utilisée pour sa légèreté et l'isolation.

extrusion : un procédé par lequel on pousse une matière à travers une forme longue et mince : tube, baguette, tuyau ou câble.

fusion : le passage d'un corps solide à l'état liquide sous l'action de la chaleur.

isolation : l'ensemble des procédés pour empêcher le passage du courant électrique (isolation électrique), de la chaleur (isolation thermique) ou du bruit (isolation acoustique).

liaison des atomes : la force responsable de l'union d'atomes dans une molécule.

monomère : un corps chimique constitué de molécules simples qui se joignent à d'autres molécules semblables, comme le maillon d'une chaîne, pour former un polymère.

mousse : un liquide ou un solide contenant beaucoup de bulles ou d'alvéoles. La mousse de savon de la baignoire est une mousse liquide. Une éponge ou une mousse plastique est une mousse solide.

polymère : un corps chimique formé par de longues chaînes de monomères.

trémie : un réservoir en forme de pyramide tronquée et renversée faisant partie d'une machine de triage, de broyage…

31